À L'AVENTURE !

Vous êtes Elric, un garçon passionné de football. Votre équipe a fait preuve de fair-play tout au long de la saison et votre club a reçu les félicitations de la fédération à ce propos. Cette dernière a décidé de récompenser l'un des joueurs du club en l'invitant à assister à la finale de la coupe qui se déroulera prochainement.

Votre président a procédé à un tirage au sort… et vous en êtes l'heureux gagnant !

Vous allez pouvoir suivre l'une des équipes finalistes pendant trois jours, et découvrir l'envers du décor de cette finale : contrairement aux autres spectateurs, vous aurez la possibilité de vous promener avant et pendant le match à travers tout le stade.

Vous voilà muni d'un billet pour la capitale, mais la tâche qui vous attend est rude, car vous allez également intégrer le staff d'encadrement de cette finale : vous devrez accueillir les joueurs à l'aéroport, les mener à l'hôtel puis au stade où ils pourront s'entraîner. Il vous faudra aussi veiller au bon déroulement de la compétition. Il y a fort à faire dans une telle organisation ! Et qui sait, peut-être aurez-vous l'occasion de donner un petit coup de pouce à votre équipe pour qu'elle remporte le match ?

Souvenez-vous : il vous est interdit de revenir en arrière, à moins que cela ne vous soit expressément indiqué.

Bonne chance !

Texte original : Jean-Luc Bizien
Illustrations : Emmanuel Saint
Secrétariat d'édition : Yannick Le Bihen
© 2002 Éditions Gründ
ISBN : 2-7000-3759-6/Dépôt légal : mars 2002
PAO : Tifinagh
Photogravure : Magie Bleue
Imprimé en France par Hérissey
Loi n° 49-956 du 16 juillet 1949 sur les publications destinées à la jeunesse

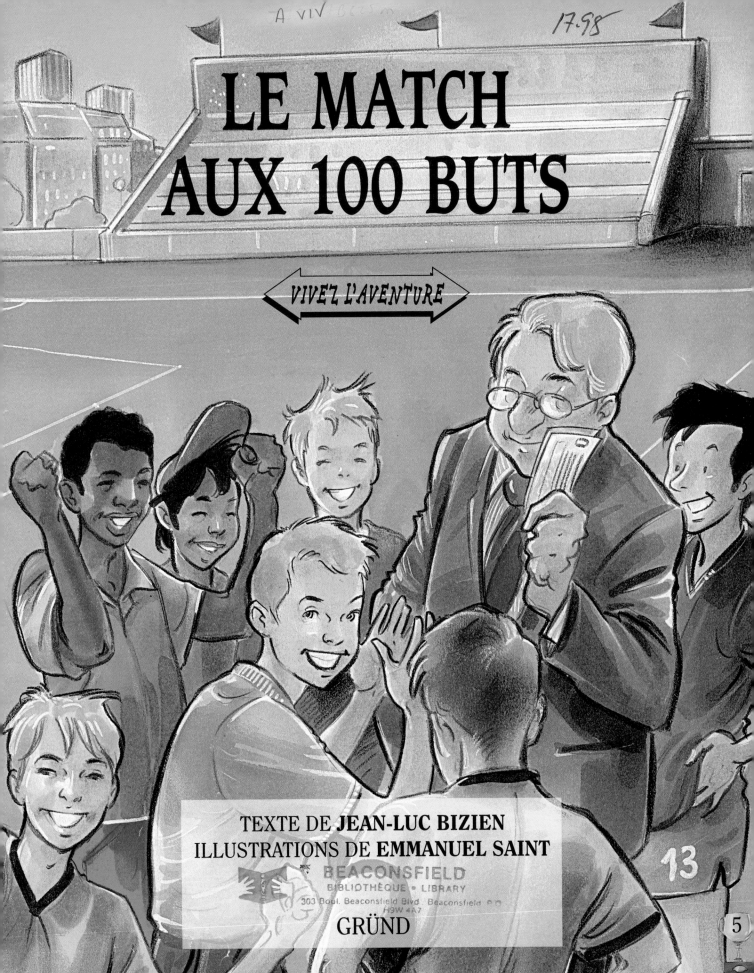

LE MATCH AUX 100 BUTS

VIVEZ L'AVENTURE

TEXTE DE **JEAN-LUC BIZIEN**
ILLUSTRATIONS DE **EMMANUEL SAINT**

GRÜND

Si vous décidez de passer par cette porte, vous vous retrouverez page 38.

En passant par ici, faufilez-vous jusqu'à la page 32.

Vous êtes arrivé
à l'hôtel des joueurs.

À cette occasion, un
organisateur vous a remis
votre badge, le précieux
laissez-passer qui vous permettra
d'accéder, dans le stade, aux endroits
habituellement interdits au public.

Dans le hall de réception, les journalistes
se pressent. Ils attendent les joueurs vedettes !
Hélas, ils vous empêchent de sortir. Vous apercevez,
près de la porte principale, le chauffeur qui doit vous conduire
à l'aéroport pour accueillir les champions. Vous allez manquer
votre premier rendez-vous ! Mais peut-être trouverez-vous une ruse
pour franchir le mur des journalistes ? Dans ce cas, allez page 16.

Mais auparavant, observez les journalistes : certains détails ne devraient pas
vous échapper.

Le jour de la finale est enfin arrivé ! Vous avez escorté les joueurs et leurs accompagnateurs de l'hôtel jusqu'aux vestiaires du stade. En dépit de l'excitation qui s'est emparée de vous, vous devez faire face à de nouvelles difficultés : dans la précipitation de cet avant-match, le préparateur a mélangé les maillots des joueurs.

Aidez-le à faire le tri dans les plus brefs délais. Les joueurs, après s'être mis en tenue, devront se concentrer pour le match !

Ensuite, trouvez les gants du gardien de but, qu'il vous faudra identifier parmi tous les joueurs. Quand vous aurez terminé, laissez les joueurs à leur préparation.

Vous pouvez aller les attendre au bord de la pelouse, page 28.

Vous pouvez également en profiter pour découvrir les secrets du stade : rendez-vous page 24.

9

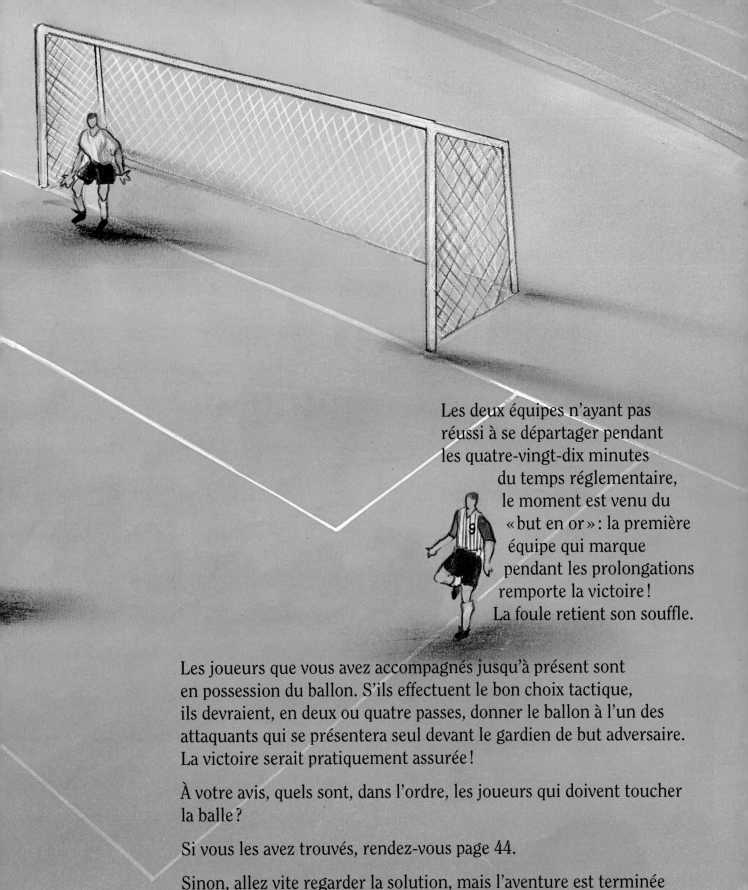

Les deux équipes n'ayant pas
réussi à se départager pendant
les quatre-vingt-dix minutes
du temps réglementaire,
le moment est venu du
« but en or » : la première
équipe qui marque
pendant les prolongations
remporte la victoire !
La foule retient son souffle.

Les joueurs que vous avez accompagnés jusqu'à présent sont
en possession du ballon. S'ils effectuent le bon choix tactique,
ils devraient, en deux ou quatre passes, donner le ballon à l'un des
attaquants qui se présentera seul devant le gardien de but adverse.
La victoire serait pratiquement assurée !

À votre avis, quels sont, dans l'ordre, les joueurs qui doivent toucher
la balle ?

Si vous les avez trouvés, rendez-vous page 44.

Sinon, allez vite regarder la solution, mais l'aventure est terminée
pour vous, il faut en commencer une autre page 6.

Vous avez longé les tribunes, où la foule se presse nombreuse. Afin d'assurer la sécurité des supporters, on les place en fonction de l'équipe qu'ils sont venus encourager.

Les « stadiers » ont trouvé trois d'entre eux qui se sont trompés de place. Ils vont les conduire à l'emplacement qui leur est réservé. Mais quelque chose vous dit que ces trois personnes ne sont pas venues seules, et pour cause : ce sont tous des jumeaux.

Trouvez vite leur alter ego, afin qu'ils ne soient pas séparés.

Puis dépêchez-vous de rejoindre le bord de la pelouse avant le coup d'envoi. Pour cela, filez page 34.

En vous dirigeant vers la tribune d'honneur, vous passez devant la régie de télévision. La tentation est trop grande, vous décidez d'y jeter un œil. Une surprise de taille vous y attend : les opérateurs, passionnés par le match, ont quitté leur poste et se pressent dans la tribune.

Des haut-parleurs, une voix aigrelette s'élève. Il s'agit du réalisateur, qui donne ses indications depuis le camion de la régie finale, à l'extérieur du stade. Le moment est important, l'arbitre vient de siffler un coup franc en faveur de votre équipe…

Mais vous constatez en observant les écrans de contrôle connectés aux différentes caméras, que l'enjeu du match a troublé les cadreurs. À vous de choisir la seule image traduisant cette action de jeu. Puis lancez-la en appuyant sur le bouton qui lui correspond et notez soigneusement le numéro de l'écran. Il vous indiquera la page que vous devrez rejoindre pour la suite de votre aventure.

42

28

12

Les joueurs ont débarqué à l'aéroport. De nombreux chasseurs d'autographes sont là. Fatigués par le voyage, les champions n'aspirent qu'à se reposer.

Aidez-les à échapper à la foule ! Pour cela, il faut les identifier, car les joueurs ont utilisé des subterfuges surprenants pour tromper la vigilance de leurs fans. Vous devriez pourtant les reconnaître.

Dès que cela sera fait, invitez-les à vous suivre discrètement.

Ils pourront ainsi rejoindre leur chambre d'hôtel, et vous pourrez vous remettre des émotions de cette première journée.

Il ne vous restera plus qu'à rejoindre la page 22.

Les membres de la sécurité vous ont rattrapé et conduit au centre de contrôle. Vous avez fait preuve de beaucoup de légèreté en égarant votre badge. Comment leur prouver que vous êtes bien le garçon sérieux que le président de votre club leur a décrit ? Observez bien la scène qui vous entoure, vous y trouverez peut-être une aide précieuse.

Puis écoutez attentivement la question que l'un d'entre eux vous pose :

– Sur un coup de pied de but, le gardien dégage le ballon qui sort de la surface de réparation. Mais, rabattu par un terrible coup de vent, le ballon revient immédiatement vers le gardien qui le touche. Mais, malgré son intervention, le ballon pénètre dans les buts. Si vous étiez l'arbitre, quelle décision appliqueriez-vous ?

Si vous connaissez la réponse, vous aurez le droit de continuer votre aventure en rejoignant la page 40.

Dans le cas contraire, hélas, votre mission s'achève ici. Il vous faut retourner page 6 et effectuer une nouvelle tentative.

Le préparateur physique doit ranger le matériel qui a servi pour l'entraînement afin de libérer la pelouse avant l'arrivée de l'équipe adverse. Hélas, il a fort à faire et le temps lui est compté.

De plus, les joueurs ne lui ont pas simplifié la tâche : non contents d'avoir joué quelques bons tours à leur entraîneur, ils ont signé leur passage de nombreux gags !

Aidez le préparateur à ranger les différents accessoires. Vous isolerez ceux qui n'ont rien à faire ici. Comptez-les : ils vous indiqueront à quelle page vous rendre.

Votre journée est finie ; vous avez bien mérité un peu de repos. Demain, c'est le grand jour.

Si vous ne vous êtes pas acquitté de votre mission, retournez page 6.

En cette veille de finale, les joueurs doivent effectuer leur première séance d'entraînement et se familiariser avec la pelouse du stade. Mais le chauffeur du bus a bien des difficultés à vous mener aux abords du stade.

Aidez le conducteur à trouver un parcours à travers ce labyrinthe. Vous éviterez ainsi aux joueurs de perdre un temps précieux.

Ensuite, rendez-vous page 36.

Vous n'auriez pas dû abandonner les joueurs pour vous promener
dans les coulisses du stade : le service de sécurité vous a surpris
et vous conduit à l'extérieur du stade.

Pour vous, c'est la fin.

Les joueurs sont désolés pour vous, car vous allez manquer le match…
À moins que vous n'arriviez à comprendre ce qu'ils essayent de vous dire :
Mon premier appelle la balle pendant le match.
Mon second est un morceau de tarte.
Mon troisième ne se mêle pas à l'huile.
Mon quatrième est une moitié de cintre.
Un triangle possède trois fois mon cinquième.
Et mon tout t'indique peut-être un moyen de tenter une nouvelle aventure !

Si vous trouvez la solution de leur charade, vous pouvez retourner page 6.

La sécurité du match est assurée par des «stadiers» qui sont chargés de prévenir tout danger, d'aider les spectateurs en cas de problème et d'éviter tout débordement.
Certains supporters n'hésitent pas à manifester leur joie en envahissant le terrain! Pourtant, les préposés à la surveillance semblent avoir d'autres centres d'intérêt.

Trouvez ceux qui font sérieusement leur travail, ils se chargeront de reprendre leurs camarades en mains.
Ensuite, vous pourrez rejoindre les tribunes pour suivre le match. Allez page 14.

Si vous préférez rester au bord du terrain, on a besoin de vous page 30.

Vous avez emprunté le long couloir qui mène à la pelouse.
Vous voilà au pied des tribunes. Quelle ambiance extraordinaire !

Pour manifester sa joie, en attendant d'acclamer les joueurs,
le public entame une « ola ». Le spectacle de cette vague qu'on mime
en se levant à tour de rôle est étonnant, mais à y regarder
de plus près, certains supporters ont des comportements pour
le moins curieux : amusez-vous à les repérer et à les compter.

Leur nombre vous indiquera à quelle page vous rendre
pour continuer cette aventure.

Un des joueurs a dévissé au moment de sa frappe : son tir mal cadré a envoyé
le ballon dans l'un des virages des tribunes.
Les supporters s'en sont emparés, trop heureux de conserver ce trophée inespéré !

Saurez-vous démasquer le spectateur indélicat qui tente de le subtiliser ?

Si c'est le cas, il ne fera pas de difficultés pour vous le restituer.

Vous n'aurez plus qu'à repartir vers la page 40.

Le couloir menait à une entrée de service. On y accueille des officiels qui n'ont pas pu se glisser par la porte principale, dont l'accès est obstrué par les journalistes. Parmi eux se trouvent l'arbitre de centre et les deux juges de touche, qui sont attendus en salle de réunion. Seuls ces trois personnages seront autorisés à y entrer. Saurez-vous les reconnaître malgré leur tenue de ville ?

Dépêchez-vous, votre chauffeur vous attend. Vous devez vous rendre au plus vite à l'aéroport !

Quand vous aurez découvert qui sont les arbitres,
menez-les page 38.

Une pluie de confettis a salué l'entrée des joueurs sur le terrain. Avant la rencontre, l'arbitre a procédé au tirage au sort en présence de deux enfants, mascottes de chacune des deux équipes.

Malheureusement, la pièce utilisée s'est perdue. Aidez les deux capitaines d'équipe à la retrouver. Quand ce sera fait, menez les deux enfants vers

les bancs de leur équipe respective.
Si vous souhaitez rester au bord
de la touche, rejoignez la page 26.
Mais peut-être suivrez-vous mieux
le match depuis les gradins ?
Alors, rendez-vous
page 14.

Vous assistez à une séance d'entraînement pour
le moins farfelue : les joueurs, probablement tendus
avant la compétition, se livrent à un certain nombre
de plaisanteries qui ne sont pas du goût de leur entraîneur !

Aidez le malheureux à reprendre en mains son équipe.
Tous les farceurs démasqués poursuivront le travail avec sérieux.

À l'issue de l'entraînement, vous pouvez choisir d'aider le préparateur physique à ranger le matériel. Pour cela, allez page 20.

Mais peut-être préférerez-vous visiter les coulisses du stade ? Dans ce cas, rendez-vous page 24.

Certains arbitres font preuve d'une trop grande rigueur
ou, à l'inverse, de trop de laxisme. Il faut trouver un juste équilibre
pour ne pas nuire à la fluidité du jeu.

Aussi, afin d'harmoniser leur travail, les instances du corps arbitral
ont coutume de se réunir devant un écran géant et de visionner
des actions de jeu.

Pour assister à leur séance, vous devez trouver sept irrégularités
ou anomalies flagrantes que tout bon arbitre se doit de sanctionner.

Si vous y parvenez, vous pourrez suivre la réunion quelques instants,
avant de rejoindre votre chauffeur qui vous conduira à la page 16.

Dans le cas contraire, votre aventure s'achève déjà: vous devrez
retourner page 6!

Vite ! L'entraîneur, en fin tacticien, décide de procéder à un dernier changement avant la fin du temps réglementaire, pour disposer d'un homme frais sur le terrain.

Le numéro du remplaçant vous indiquera la page à laquelle vous devez vous rendre pour poursuivre votre mission. Vous devriez sans erreur le désigner : c'est le seul qui soit prêt à jouer immédiatement.

Si vous vous trompez, vous devrez commencer une nouvelle aventure, page 6.

Vous êtes parvenu sur le toit du stade.
D'ici, la vue est imprenable, seulement vous
ne pouvez rester trop longtemps : les consignes
de sécurité sont strictes, l'accès à cet endroit
dangereux est formellement interdit !

D'un coup d'œil, vous pouvez affirmer
qu'une des deux équipes triche, mais laquelle ?

Faites vite, un des membres du personnel
de sécurité vous somme de descendre.
Mais comment lui faire comprendre que
vous appartenez au personnel d'encadrement
d'une équipe ?

Si vous trouvez un moyen de lui prouver
votre bonne foi, ils vous mènera page 40.

Si vous préférez lui fausser compagnie,
courez page 18.

L'équipe que vous avez accompagnée a remporté une magnifique victoire à l'issue d'une prolongation haletante !

Les joueurs ont été invités à rejoindre la tribune d'honneur, d'où ils présentent la coupe à leurs supporters comblés.

Les vivats fusent, la musique retentit
dans les haut-parleurs.

Mais l'euphorie générale ne doit pas
vous empêcher de remarquer que
des personnes ont des comportements
étranges…

Amusez-vous à les trouver, puis comptez-les.

Pages 6-7. Glissez-vous sur le plateau inférieur du chariot que pousse le serveur, vous pourrez ainsi vous frayer un chemin à travers les journalistes. Vous trouverez cinq journalistes avec des éléments surprenants.

Pages 8-9. Comparez le numéro des shorts des joueurs avec celui des maillots étalés sur le sol et par élimination vous identifierez le gardien de but (le numéro 1, seul joueur dont on ne voit pas le short).

Pages 10-11. En quatre passes: le joueur n° 5 fait une passe au n° 8, qui du pied droit glisse le ballon au n° 10. Celui-ci passe le ballon au n° 7. Ce dernier ajuste alors un centre pour le n° 6 qui est idéalement placé pour une reprise de volée.

En deux passes: après la passe du n° 5, le joueur n° 8 peut aussi, par une subtile «talonnade» donner le ballon au n° 6; ce dernier peut également recevoir la balle du n° 3 (qui l'aura au préalable reçu du n° 5), mais ici, le choix tactique est plus aléatoire, car il suppose que le n° 3 dose sa frappe de façon à réaliser un minilob parfait pour surprendre les n° 8 et 9 adverses. Attention, le n° 3 ne doit surtout pas passer le ballon au n° 9 qui se trouve en situation de hors jeu (de position).

Pages 14-15. Lancez l'image 42.

Pages 16-17. Les joueurs ont échangé leur tenue avec celle de leur garde du corps, ou des membres de l'équipage. Sept d'entre eux sont ici présents.

Pages 18-19. Le badge que vous avez égaré dépasse de la poche intérieure de la veste d'un des membres de la sécurité.

Le but ne peut être accordé, car le ballon n'a pas été touché par un autre joueur. Vous devez siffler un coup franc indirect. Le règlement stipule que si le joueur, gardien de but compris, qui a donné le coup de pied de but rejoue le ballon après que celui-ci soit sorti de la surface de réparation, mais avant qu'il n'ait été touché ou joué par un autre joueur, un coup franc est accordé à l'équipe adverse, à l'endroit où l'infraction a été commise.

Pages 20-21. Il y a 8 éléments farfelus: une montre de gousset, un ballon de plage, un ballon ovale, une trompette, une pelle, une truelle, un râteau et un maillot «léopard». Vous devez donc vous rendre page 8.

Pages 24-25. Vous avez trouvé? La solution de la charade est «passe-part-l'eau-tre-côté» (passe par l'autre côté!).

Pages 26-27. Seuls deux «stadiers» effectuent correctement leur travail de surveillance.

Pages 28-29. Douze invraisemblances sont disséminées dans la foule: le supporter avec la banane dans l'oreille, la fillette avec l'arrosoir, le supporter avec trois bras, l'homme avec un heaume, le motard, le cuisinier, le chien (les animaux sont interdits sur les stades), le torero, le spectateur qui fait le poirier, le supporter indélicat qui croque dans le sandwich de son voisin de dessous, le pirate et l'extraterrestre. Vous devez donc vous rendre page 12.

Pages 32-33. Les arbitres possèdent les deux cartons (jaune et rouge) et/ou un sifflet.

Pages 34-35. Regardez donc sous la chaussure gauche du joueur portant le n° 10! L'un des enfants porte sous sa veste le maillot aux couleurs de l'équipe dont il est la mascotte.

Pages 36-37. Un joueur joue en tongs, un autre écoute de la musique, le n° 4 laisse tomber de la poche de son short un jeu de cartes, le gardien de but est équipé comme un hockeyeur, un ballon de rugby s'est mêlé aux ballons de football, un kendoka se promène sur la pelouse, un joueur est à califourchon sur un autre.

Pages 38-39. Un joueur porte une grille de protection sur le visage, le n° 5 bleu tacle par-derrière son adversaire, le n° 4 jaune donne un coup de coude, le n° 7 bleu prend appui (il fait l'ascenseur) sur son adversaire, le n° 2 bleu tire le short du n° 9 de l'équipe adverse, les deux n° 10 effectuent deux fautes l'un sur l'autre: tirage de maillot et «poussette» dans le dos.

Pages 40-41. Seul le numéro 10 est prêt à entrer immédiatement.

Pages 42-43. L'une des équipes joue avec 12 joueurs. Pour prouver à la personne de la sécurité que vous appartenez bien au personnel d'encadrement d'une équipe, présentez-lui votre badge. Mais attention, il vient de glisser de votre poche, le voyez-vous?

Pages 44-45. Vingt-sept sportifs n'ont rien à faire sur le stade lors de la remise de la coupe.

SOLUTIONS